Als der kleine Nachtbär kam

Sigrun Damas und
Constanza Droop

arsEdition

Jan hatte prima Eltern. Allerdings schickten sie ihn abends früh ins Bett. Dabei war er fast nie müde. Zum Beispiel neulich. Jan malte gerade einen ganz tollen Fisch, als seine Eltern sagten: »Es ist schon spät, Jan. Du solltest längst im Bett sein. Deinen Fisch kannst du ja morgen weitermalen.« Jan war natürlich nicht dieser Meinung. Mißmutig schlüpfte er in seinen Schlafanzug.

Da lag er nun in seinem Bett. Er langweilte sich.
Er hatte gar keine Lust einzuschlafen.

Deswegen schaute er aus dem Fenster. Draußen war es noch ziemlich hell.

Plötzlich bemerkte er zwei Pfoten, die sich an seine Fensterbank klammerten. Zwei nachtblaue Pfoten, die funkelten und glänzten. Vor lauter Schreck kroch Jan unter seine Bettdecke. Aber nicht ganz. Er war zu neugierig und lugte durch

einen winzigen Spalt hervor. Hinter den blauen
Pfoten tauchten auf einmal zwei dunkelblaue
Ohren auf und eine dicke Nase. »Oh je«, dachte
Jan ängstlich, »wer kann das sein?« Doch dann
fiel es ihm ein: Das mußte der Nachtbär sein!

Vom Nachtbären hatte Jan gehört; er fürchtete
sich gleich weniger. Du weiß nicht, wer der
Nachtbär ist? Ich will es dir erklären:
Der Nachtbär kommt, damit es dunkel wird.
Er kommt und tanzt dich in den Schlaf, damit
du träumen kannst. Von draußen klettert er an
Fensterbänken hoch und schnauft und brummt
dabei. Der Nachtbär ist nicht groß, – hinter
deinem Kopfkissen könnte er sich verstecken –
und er hat ein wunderschönes dunkelblaues Fell.
Das ist ganz weich und glänzt wie Samt.
Du müßtest ihn mal streicheln!

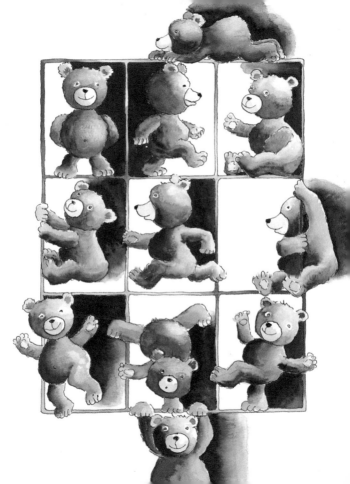

Dieser kleine Nachtbär strampelte also an Jans Fensterbank: Nach und nach zog er sich an seinen Pfoten am Fensterbrett empor. Laut schnaufend und mit viel Gebrumm. Endlich war er hinaufgeklettert. Da stand er nun, zwinkerte Jan zu und brummte ihn leise an. Sein Brummen war samtweich und dunkelblau.

Dann sprang er mit einem Satz ins Zimmer.
Tollte kreuz und quer durch den Raum, ritt Jans
Schaukelpferd und tanzte mit seinem Teddy.

Sogar an den Gardinen ist er hochgeklettert.
Und wo der kleine Nachtbär klettert, hüpft und
springt, hinterläßt er dunkelblaue Tupfen.

Jan staunte über seinen kleinen Gast, der alles
blautupfte:
blau die Tischkante,
blau den Pinseltopf,
blau das Auto.
Und alle Bauklötze!
Von oben bis unten. »Der kleine Nachtbär ist ein
Blaubär«, dachte Jan. Er mochte ihn.

Schließlich hüpfte der kleine Bär aufs Bett und

schlug ganz viele Purzelbäume – einen, zwei, drei.

So hat er allmählich das ganze Zimmer in dunkelblaue Farbe getaucht. Mit seiner kleinen Pfote streichelte der Nachtbär Jans Wange.

Bald fielen Jan vor Müdigkeit die Augen zu.
Ganz tief sank er in sein Kopfkissen ein. Es war
weich wie Samt.

Als er am anderen Morgen aufwachte, hatte der kleine Bär die Nacht schon wieder eingesammelt. Er stand auf der Fensterbank, winkte Jan noch einmal zu und brummte dabei leise. Dann huschte er hinaus in den Morgen.

Jan sprang aus seinem Bett und lief ans Fenster.
Er wollte doch sehen, wohin der kleine Bär ging!
Aber der war schon verschwunden.

Doch Jan war nicht traurig, denn er wußte: Der
Bär kommt jeden Abend wieder! Die beiden sind
nämlich Freunde, der kleine Nachtbär und Jan.

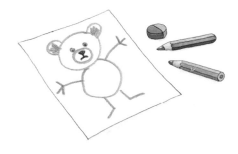

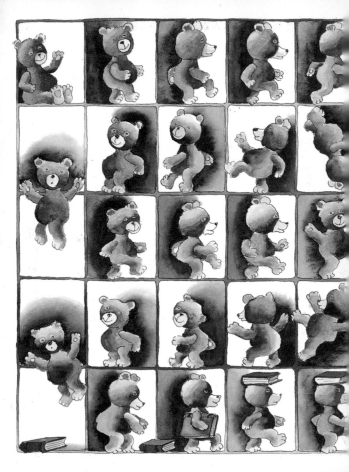